KU-101-332

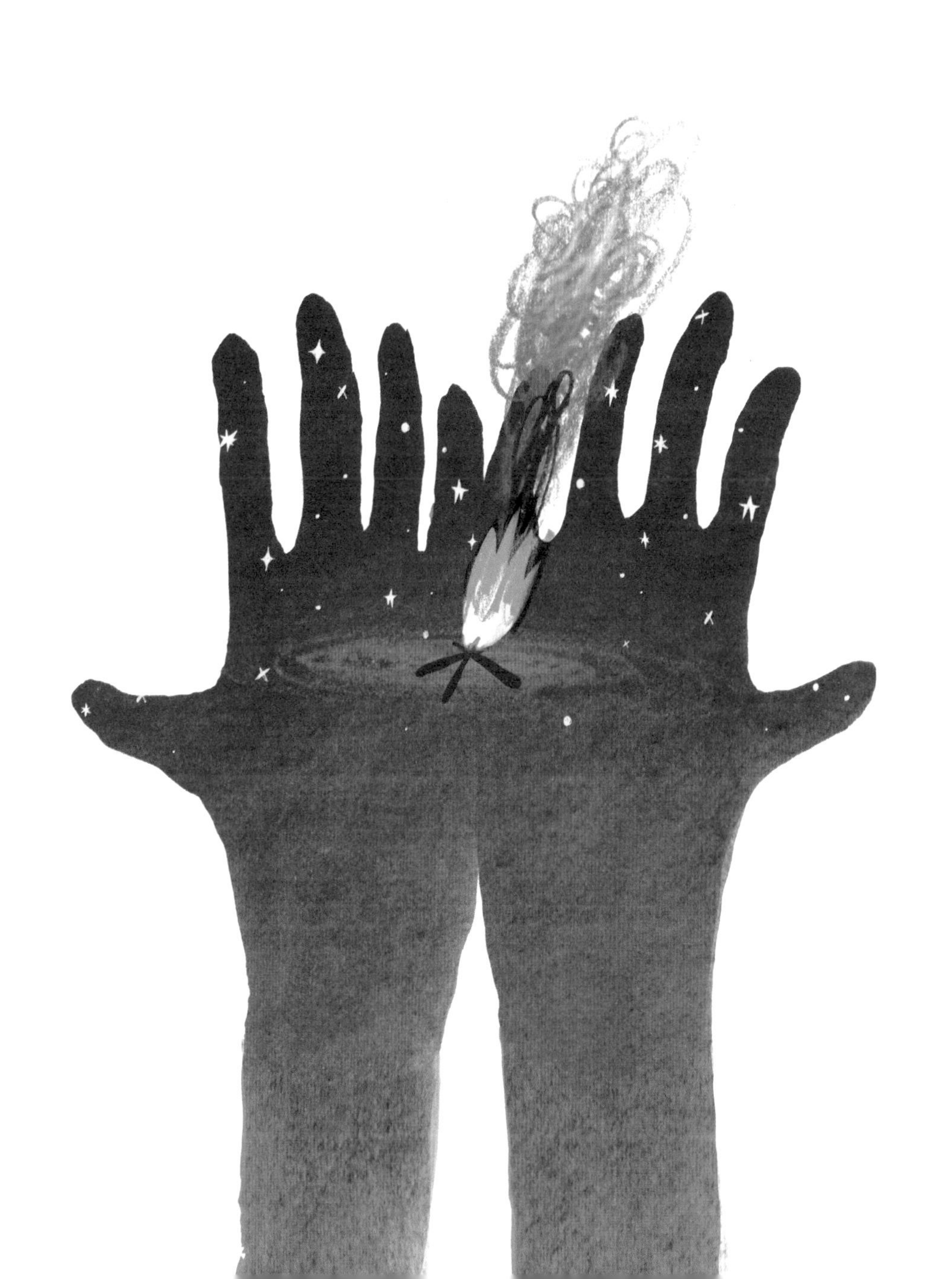

‘Vertel me, wat ben je van plan te doen
met het enige, geweldige en waardevolle leven dat je hebt?’

– Mary Oliver, ‘The Summer Day’, *House of Light*, 1990

Voor Arn,
de adviseur, mede-navigator en vriend
die me hielp dit boek uit de chaos van
mijn hoofd te halen.

OLIVER JEFFERS

BEGIN

UITGEVERIJ
De Fontein
JEUGD

Hoe is het allemaal begonnen?

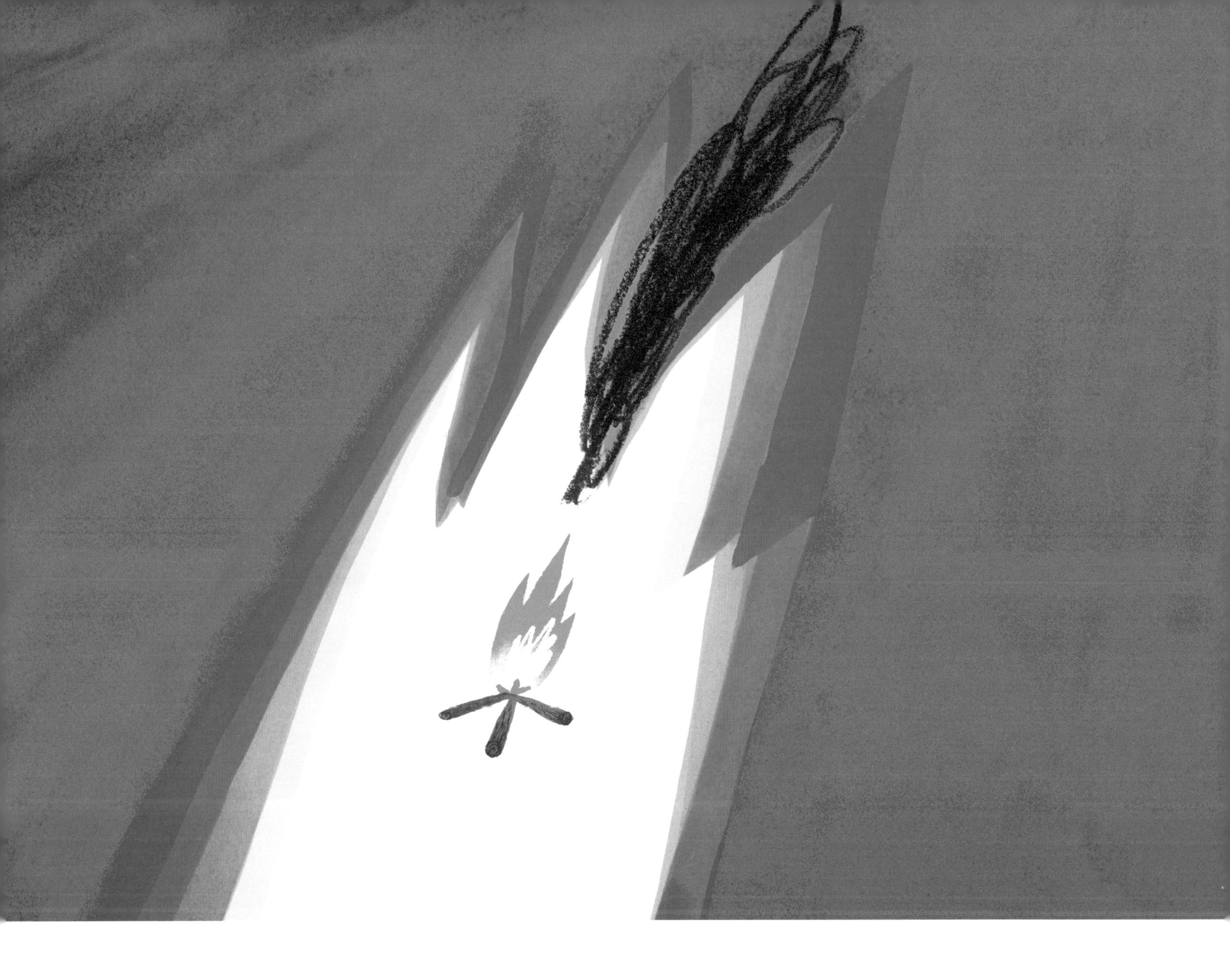

Met vuur, denk ik.

De ontdekking van het vuur heeft alles in één klap veranderd.

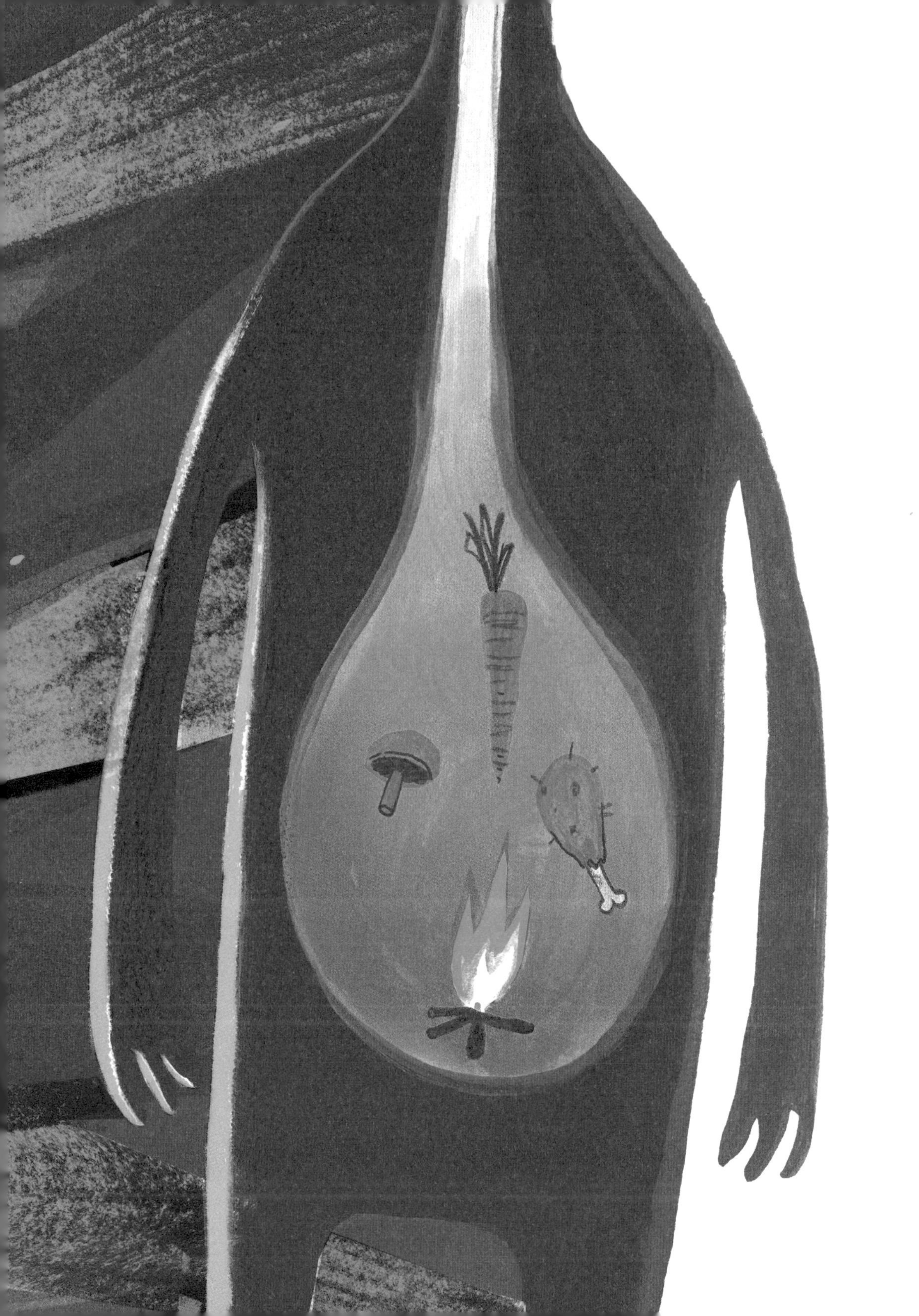

Het bracht ons hoger op de ladder.

Onze energie verplaatste zich van de maag…

naar onze hersenen.
En die bedachten

**zagen patronen,
vertelden verhalen
en creëerden de
toekomst.**

Nee, wacht.

Het begon al eerder.

Het begon met onze handen.

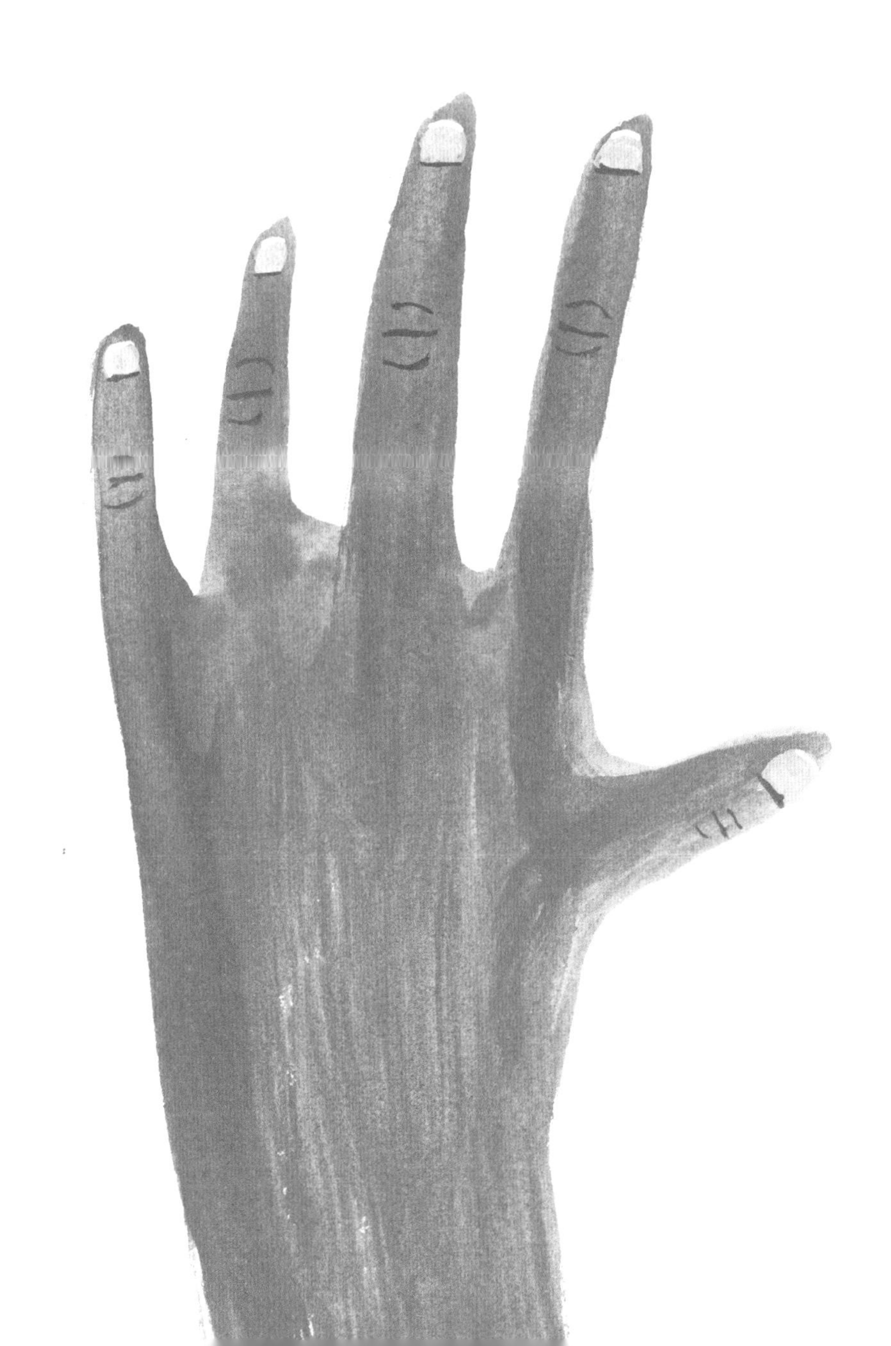

(**We moesten immers het vuur aansteken!**)

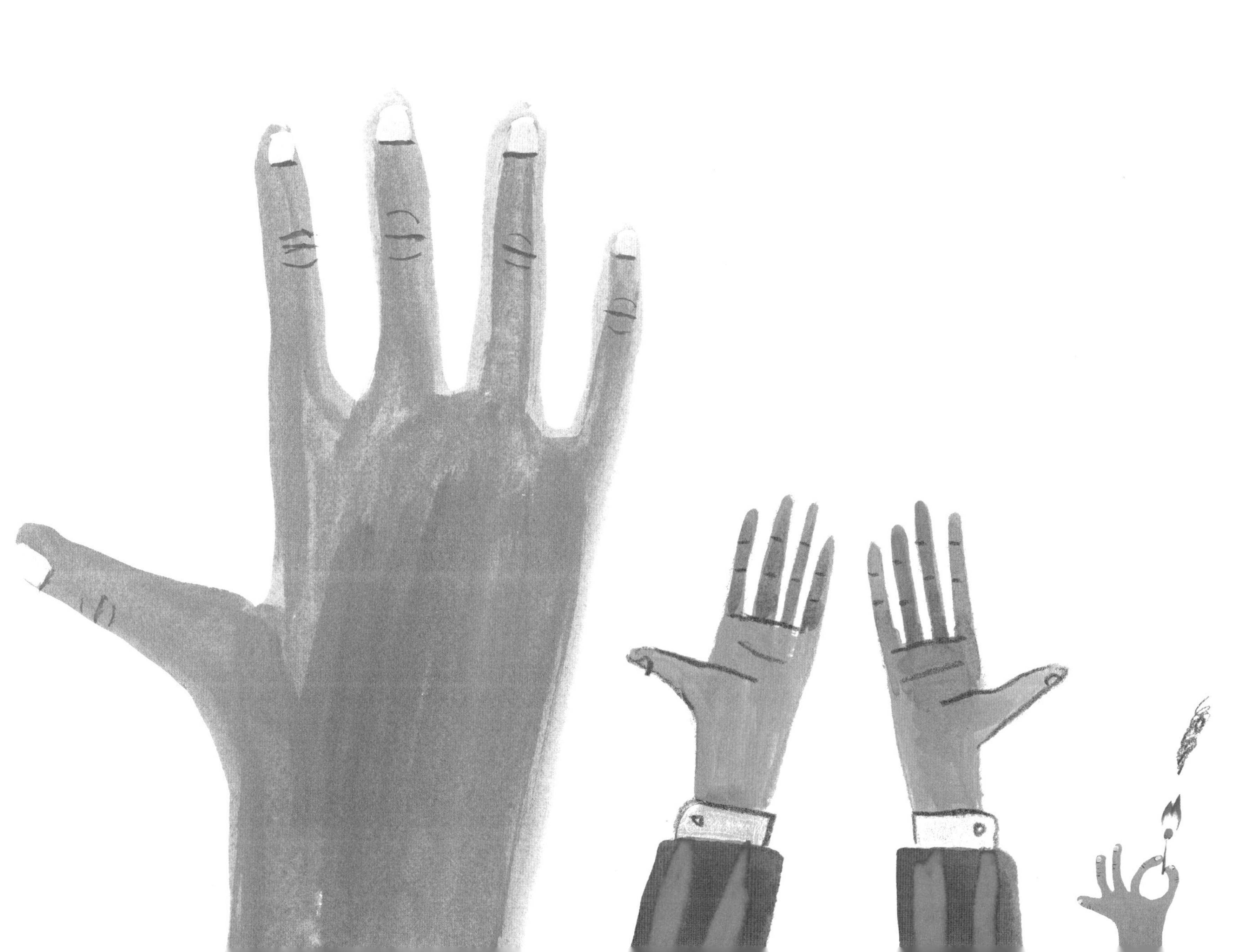

We pakten wat we tegenkwamen, voegden het samen, en maakten er gereedschap van.

Een stok en een steen aan elkaar gebonden werd een hamer.

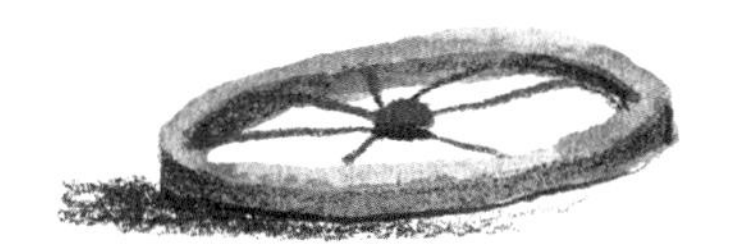

Ergens op ons pad ontstond

een wiel...

een boor...

een telefoon...

...een raket.

In het begin

gebruikten we die dingen

simpelweg om te overleven.

Daarna om de wereld

te ontdekken,

toen om te beheersen

en uiteindelijk om te spelen.

**Voor het eerst
hadden we tijd.**

**Tijd om na te denken
over schoonheid.**

**Om dingen te maken
gewoon voor de lol.**

Om te leven zonder na te denken over de dood.

Nee. Wacht.

Het begon zelfs nóg eerder.

Toen we aankwamen op het droge,

stonden we op twee voeten.

We zetten de ene voet voor de andere en we liepen.

Het zijn onze voeten die bepalen welke kant we op willen.

Maar waar willen we dan heen?

Als de voorspellingen juist waren geweest,
dan leefden we nu in de ruimte.
Wij allemaal.
Voorbij de lucht
die we inademen,

onderweg naar nog verder.

Ons eten zou bestaan uit pillen.

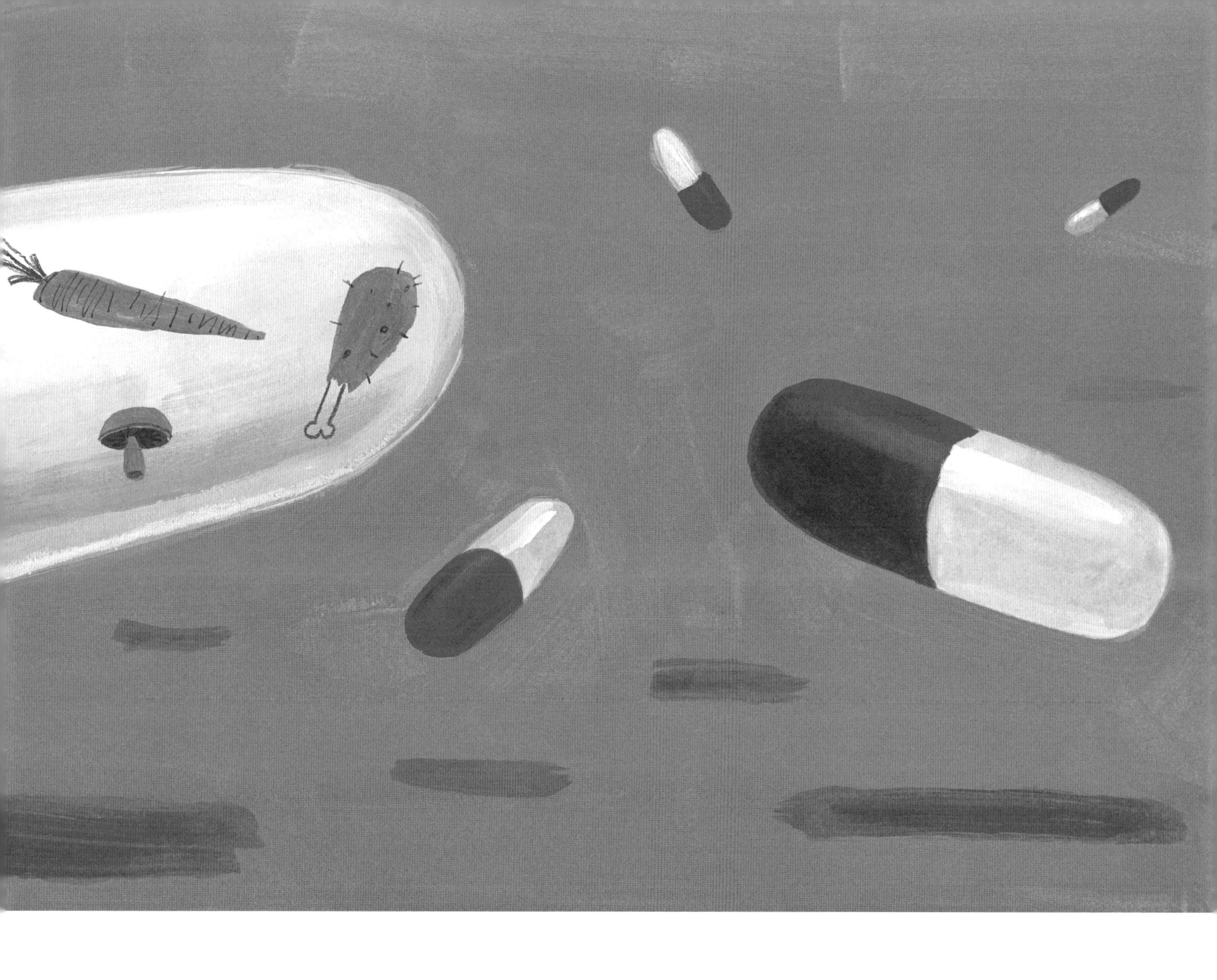

Maar zo is het niet.

We zijn nog steeds hier,

op het droge.

Waar we altijd al waren,

waarop we denkbeeldige lijnen hebben getrokken,

zodat we weten wie we zijn en wie niet,

waar we horen, en waar niet.

En we nemen wat we willen,

wanneer we dat willen.

We zijn koningen in onze eigen kastelen,

op onze afgeschermde eilandjes,

waar vreemdelingen jaloers op zijn

(op veilige afstand van die vreemdelingen).

En onthoud:

in een wereld vol vreemdelingen

komen we toch allemaal ergens vandaan.

Want als je genoeg afstand neemt, is het duidelijk dat we allemaal van de aarde komen.

Eigenlijk bestaat alleen 'WIJ'.

Wij zoeken simpelweg tevredenheid,

want uiteindelijk zijn we slechts eenvoudige wezens...

daarom vinden we een open haard zo prettig.

Het geluid van een viool.

Daarom houden we van warm licht en van hoe hout aanvoelt.

Mensen houden van warmte,

op hun huid én in hun hart.

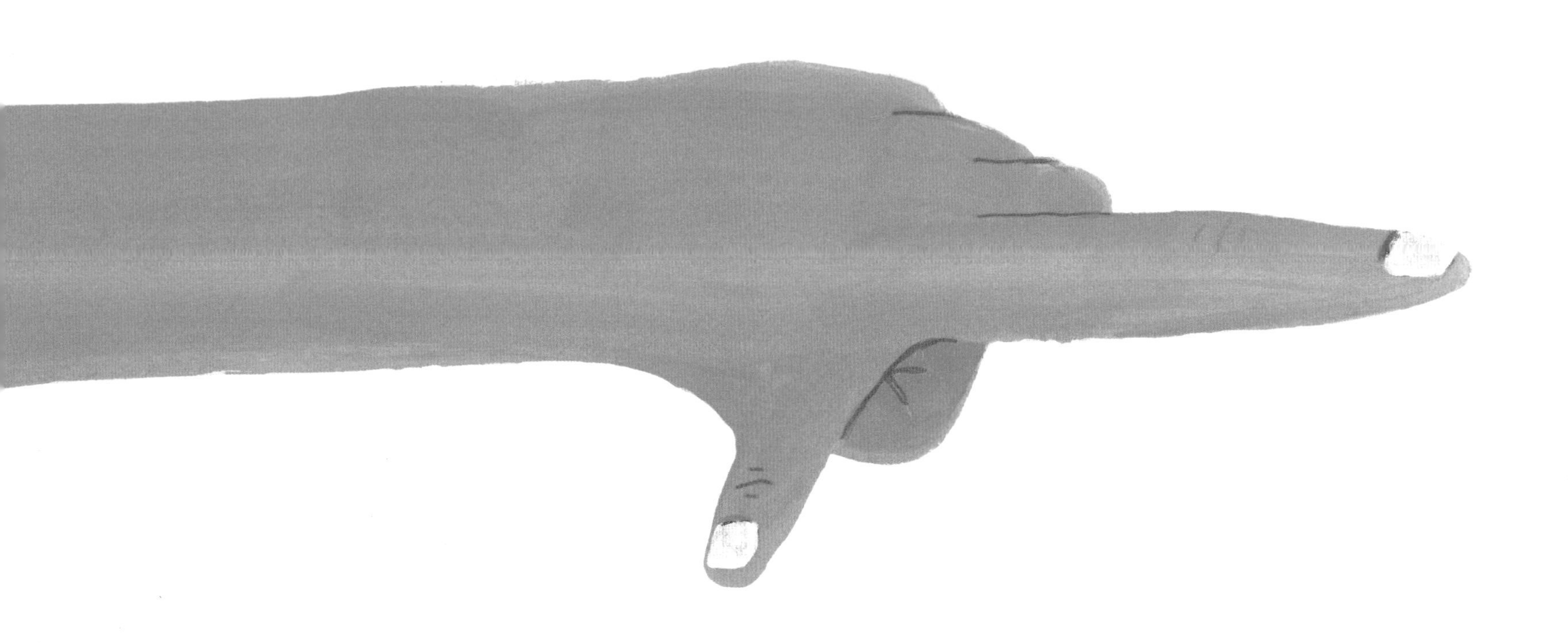

Wat we echt

het liefste willen

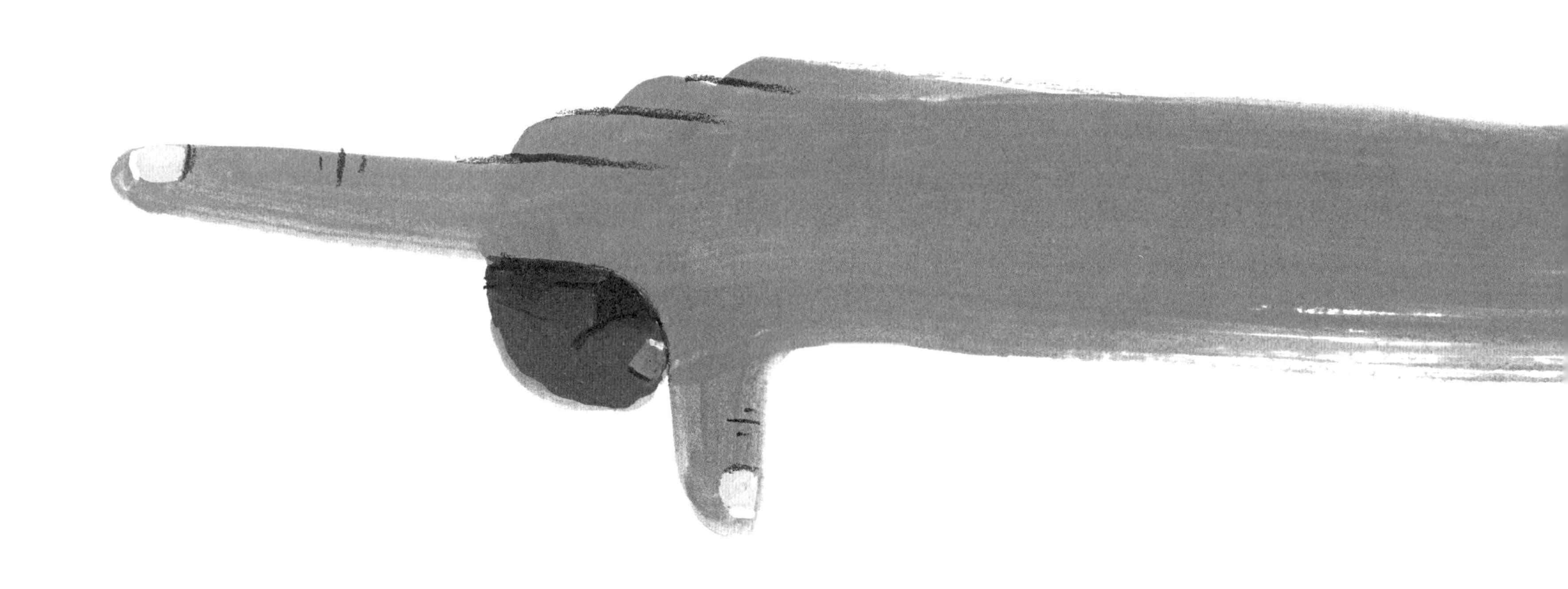

is samen zijn.

Zeg nou zelf, we vinden het leuker om een mooi cadeau te geven,

dan om het te krijgen.

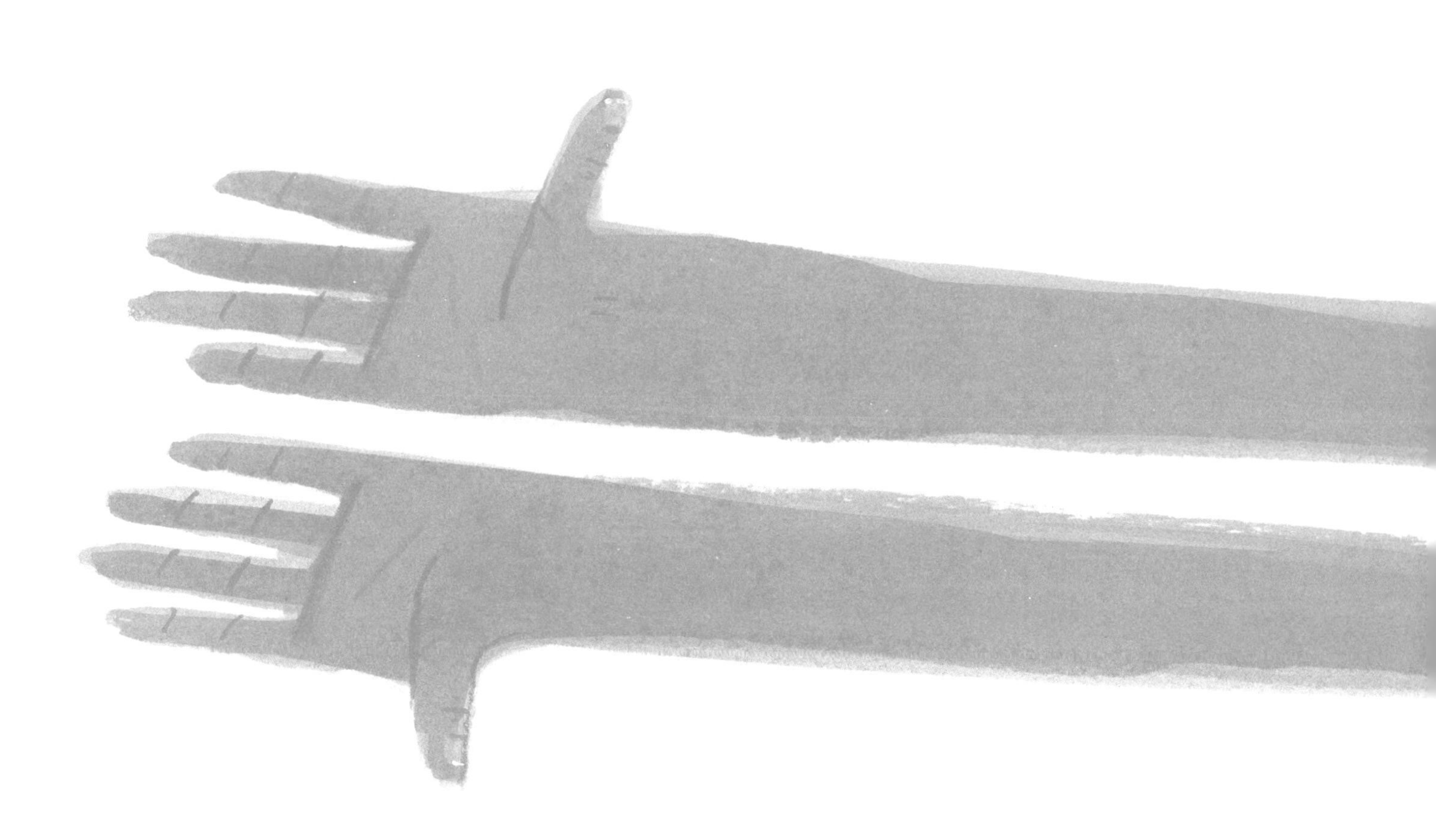

En het eerste wat we doen,
nadat we om een grap hebben gelachen,
is bedenken...

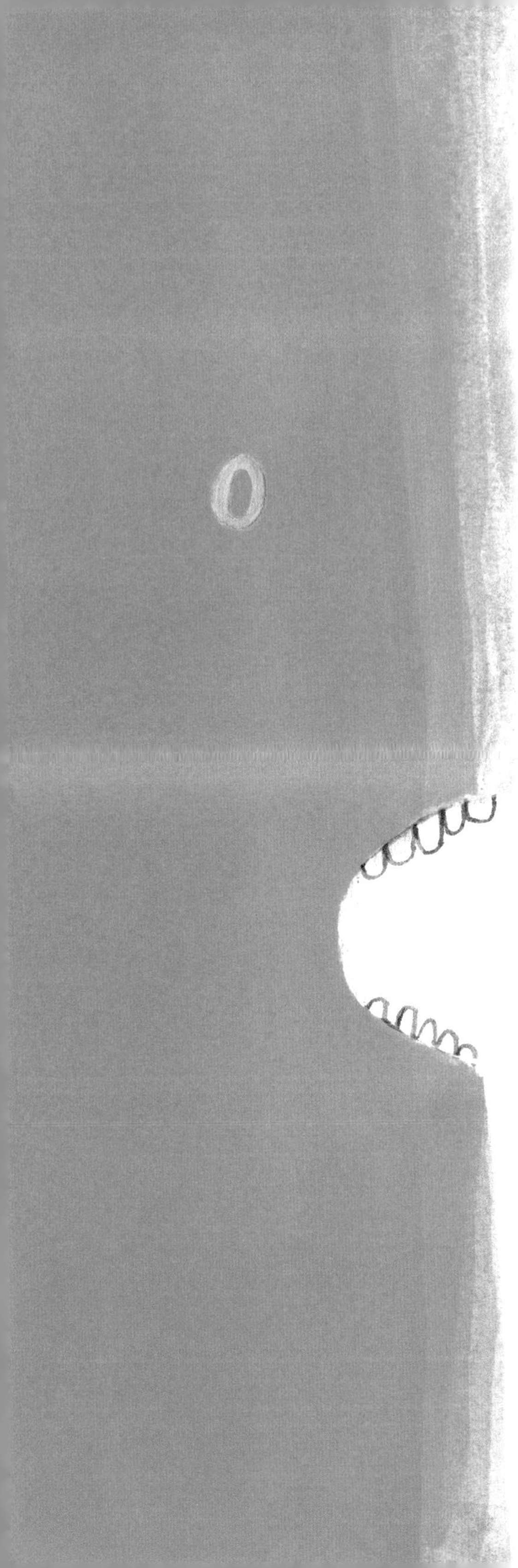

aan wie

kunnen we hem doorvertellen?

Zo was het altijd,

we vertellen verhalen aan en voor elkaar.

Verhalen die ons een veilig gevoel geven,

en een idee van waar we staan op de lijn van de tijd.

En ergens op die lijn

begon het allemaal steeds sneller te gaan.

De toekomst werd ingekort

tot het einde van ons eigen leven.

Dit leven

waarin we alleen zelf de hoofdrol spelen.

Maar... wat levert dat ons op?

Waar gaat dat allemaal heen?

Tja...

we weten niet waarheen,

maar we rennen wel om er te komen.

Voeten halen elkaar in,

onderweg naar makkelijker, sneller,

nieuwer, goedkoper.

En terwijl we rennen,

gebruiken we dezelfde handen

(die ook raketten bouwen)

om elkaar tegen te houden

en naar beneden te trekken…

We vinden

steeds maar weer,

dat het gaat om

goed of fout

in plaats van om

je best doen.

Het verschil tussen goed en je best doen is dat goed een verleden bevestigt

en je best doen een toekomst bouwt.

We moeten onderhand wel weten

dat het belangrijk is om oog te hebben voor het verleden

(want we zijn geneigd onze fouten te herhalen),

maar dat niet béide ogen erop gericht moeten zijn.

Dan staren we ons blind.

Die kant willen we niet op.

Dus waar gaan we heen?

Moeten onze huidige ideeën omgezet worden in daden?

En leveren die daden schoonheid op?

Misschien niet.

Oké... dus...

hoe gaan we dan verder?

Misschien naar een plek waar we nieuwe manieren vinden
om de oude manieren te gebruiken:
de hitte van de zon, de beweging van lucht en water,

te gebruiken wat we dichtbij vinden om dingen
te maken met de toekomst in gedachten...

Met een doel en met liefde.

Niet voor macht. Want macht is er al wel genoeg.

Misschien op weg naar een tijd waarin we ons schip

niet meer hoeven te verbranden

om vooruit te komen...

waarin we het niet meer hebben over 'ZIJ',
maar over

'ONS'.

Wij zijn gewoon 'WIJ'.

En waar we ook gaan, we gaan allemaal samen.

We moeten ons allemaal realiseren dat we niet langer slechts passagiers zijn op dit schip...

Wij zijn de enige bemanning.

En ieder van ons heeft een taak.

We zijn misschien geen radertjes in een machine

(die makkelijk vervangen kunnen worden),

maar we zijn de bomen in een bos

(allemaal even belangrijk).

Goed, maar wacht...

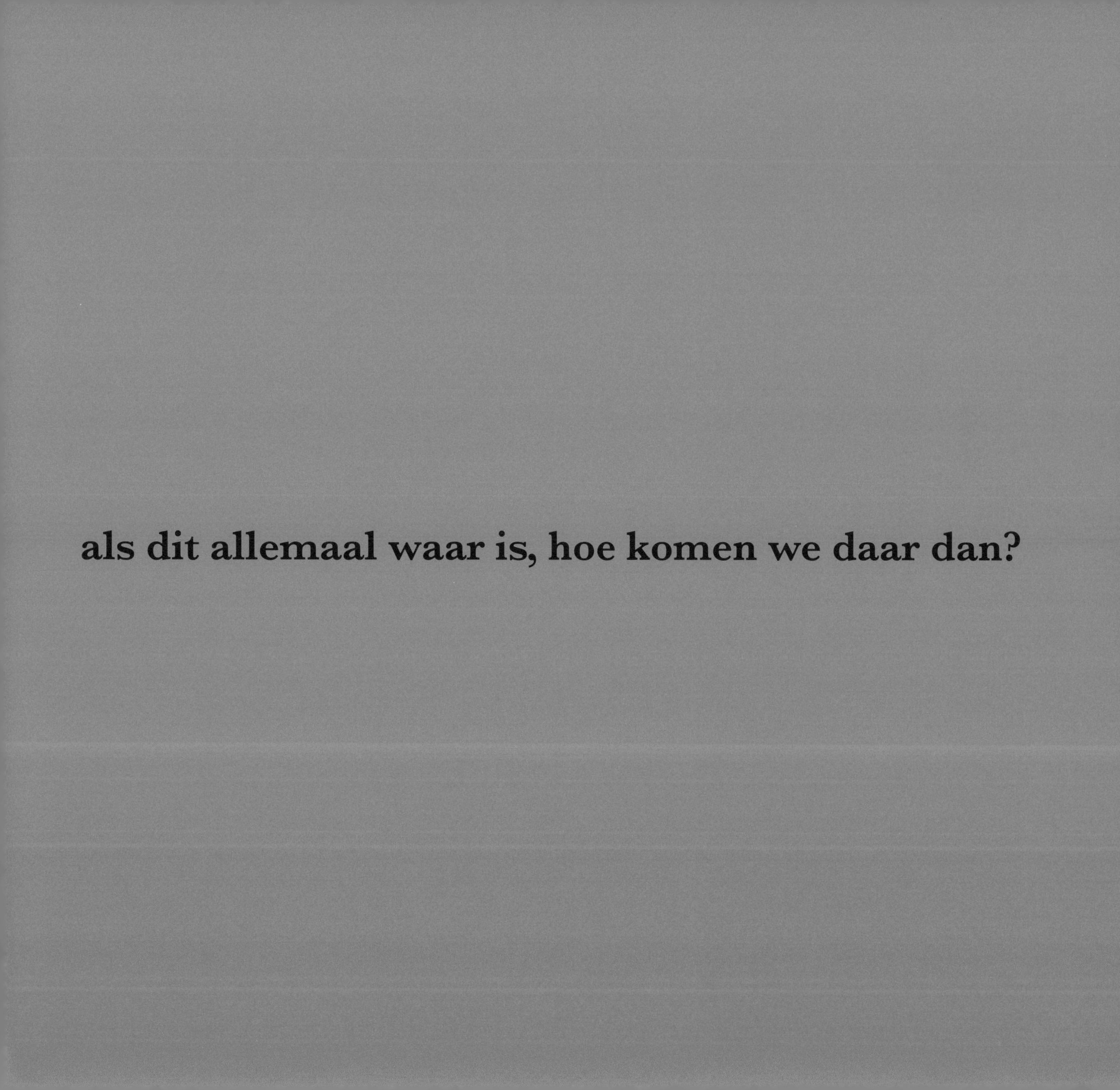
als dit allemaal waar is, hoe komen we daar dan?

Door een stapje terug te doen.

Door betere verhalen te vertellen.

Grotere verhalen,

waarin ieder van ons past in hetzelfde sterke plot...

waarin we voorbij onze eigen levens denken.

En voorbij dat van onze kinderen…

en onze kleinkinderen,

onze klein-kleinkinderen, onze klein-klein-kleinkinderen.

En daar mag je rustig wandelen

(meestal)...

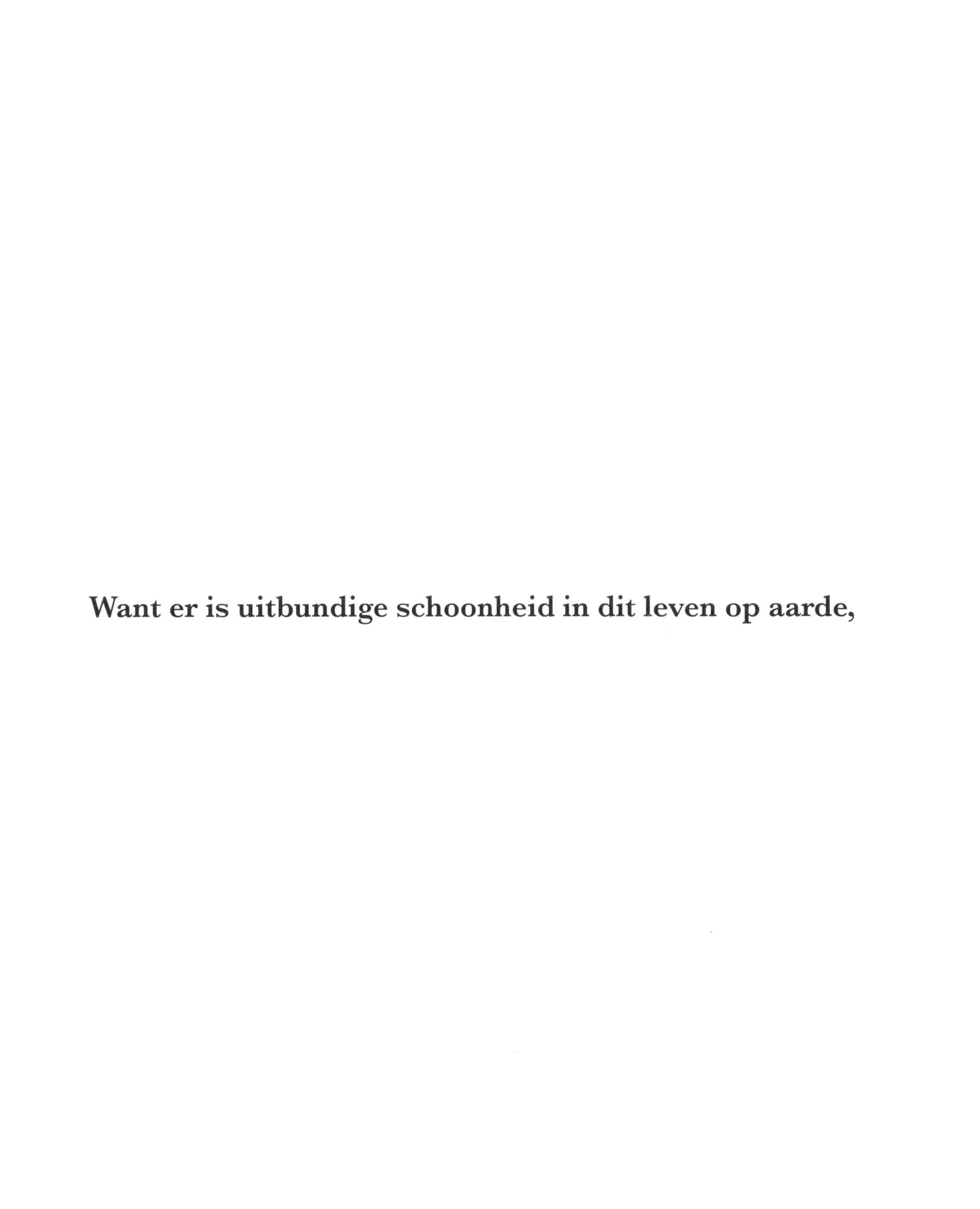

Want er is uitbundige schoonheid in dit leven op aarde,

en uitzicht waar je maar kijkt.

De kern

Wanneer je diep
genoeg graaft,
door vaak genoeg
naar het waarom
van waarom te vragen,
dan kom je bij een waarheid
in de kern;
dat alle mensen
ongeacht wie ze zijn,
waar ze vandaan komen
of wat ze geloven
gewoon hetzelfde willen.
Een huis.
Een thuis.
Een standpunt.
En een richting.

– Oliver Jeffers

Vanaf het begin: nawoord van de auteur

Waarom heb ik dit boek eigenlijk gemaakt?
En waarom voeg ik er aan het eind een uiteenzetting aan toe?

Om met die tweede vraag te beginnen: ik denk dat het besef dat het verhaal best lastig was om te beschrijven me aanspoorde om het uit te leggen.

Wat is dit precies voor boek? Ik denk dat het een geschiedenis in beelden, een beoordeling van de huidige situatie en een voorstel voor het vervolgverhaal van de mens is. Maar wat geeft mij het recht om me over zulke grote thema's uit te spreken?

Niets.

Behalve het volgende: ik geloof niet in domme vragen. Iemand vragen iets uit te leggen wat ik oprecht niet begrijp, heeft er nog nooit voor gezorgd dat ik voor domoor werd aangezien. Integendeel, het heeft zowel mij als anderen die te terughoudend waren om het zelf te vragen veel geleerd.

De afgelopen jaren ben ik me gaan afvragen of het mijn roeping is om hardop en vrijmoedig 'domme' vragen te stellen, zodat we misschien voor iedereen wat vraagstukken kunnen ophelderen. Om te proberen dingen te ontrafelen tot een niveau waarop iedereen ze kan begrijpen en onderschrijven. Om als het ware tot de kern te komen van onze levens, die als spaken in een wiel aan elkaar verbonden zijn.

Dit boek is een poging om precies dat te doen.

Met dit boek zijn mijn twee innerlijke werelden eindelijk verenigd. Tot een paar jaar geleden had mijn creativiteit twee verschillende richtingen: geïllustreerde verhalen waarvan met name kinderen genoten en beeldende kunst die vooral door volwassenen gewaardeerd werd. Maar deze verschillende creatieve stromingen vloeiden samen toen mijn zoon Harland in 2015 geboren werd. Wat begon met een brief aan hem, over wat het betekent om mens te zijn in de 21e eeuw, werd uiteindelijk het boek *Samen hier: wijs worden uit de wereld*. Plotseling kwam de wereld een stuk somberder en bozer op me over dan daarvoor. Ik weet niet of dat ook daadwerkelijk zo plotseling gebeurde of dat het kwam doordat ik de wereld nu vanuit het perspectief van een kersverse ouder bekeek.
Hoe dan ook, met dat boek voor mijn zoon probeerde ik het negatieve beeld te bestrijden door hem eenvoudige waarheden te tonen die het leven op aarde de moeite waard maken.

De eerste en meest waardevolle les in het vaderschap kreeg ik tijdens het schrijven van *Samen hier*. Ik bedacht me dat mijn zoontje, zoals alle pasgeborenen, geen idee had hoe de maatschappij in elkaar zit en daarom nog moet leren hoe te functioneren in de samenleving. Na verloop van tijd zou hij ongetwijfeld zijn eigen voorkeuren ontwikkelen en – ondanks de inspanningen van zijn moeder en mij – worden geconfronteerd met vooroordelen, waarvan hij sommige zou overnemen. Met andere woorden, ik leerde de volgende betekenisvolle les: we komen allemaal op aarde als ongeschreven verhalen.

Toen hij geboren werd, leek de wereld om me heen écht uit elkaar te vallen, en ik begon me publiekelijk uit te spreken over dingen die me altijd al wel opvielen en raakten, maar waarover ik steeds mijn mond had gehouden. Ik deed dit deels om mijn zoon (en mijn dochter Mari, die twee jaar later werd geboren) in de ogen te kunnen kijken wanneer ik hem zou vertellen dat ik mijn best had gedaan om de wereld een beetje mooier te maken. En ook omdat ik de behoefte voelde om de verhalen die het wereldtoneel domineren te bevragen. Om ze op de een of andere manier te begrijpen. Verhalen over de toenemende zichtbare ongelijkheid, het groeiende aantal vluchtelingen, politiek die verdeeldheid zaait, de gevolgen van overconsumptie, de angst om vervangen te worden door een robot, de verwerpelijkheid van het kapitalisme en de impact van klimaatgerelateerde natuurrampen. Maar in plaats van te laten zien wat er allemaal fout gaat en mee te doen aan het zaaien van angst, probeerde ik hoopvol te blijven, een patroon te zien of op z'n minst een positieve houding te stimuleren. Ik begon in te zien dat ik door mijn gedachten in beelden om te zetten anderen kon helpen ook hun stem te vinden en dat moedigde me aan om ermee door te gaan.

Dit boek is de optelsom van mijn observaties en optimisme.

Toen ik mezelf dwong om na te denken over deze onderwerpen en ik begon om me erover uit te spreken, ontdekte ik dat mijn – in eerste instantie wat geforceerde – optimisme wel gegrond was. Hoe meer ik nadacht over deze zware onderwerpen, des te meer ik me realiseerde dat onze gezamenlijke toekomst helemaal niet de kant hoeft op te gaan van de niet-functionerende dystopie waar we bang voor zijn en zo vaak over horen. Misschien is het niet zozeer dat de wereld uit elkaar lijkt te vallen, maar eerder dat wij nu plotseling, en echt voor de allereerste keer, ons bewust zijn van alles wat er gebeurt: overal, tegelijkertijd en onmiddellijk. Problemen die er altijd al waren speelden zich op een zekere afstand af, en de vooruitgang die we wél hebben geboekt vergeten we gemakkelijk. We leven nu in een tijd waarin we voor bijna alle kwalen medicijnen hebben; waarin we efficiënt overal naartoe kunnen reizen én terugkeren, binnen één seizoen; waarin mensen met andere mensen kunnen praten, overal en op elk moment, met directe toegang tot alle informatie (echt en nep); en waarin de meesten van ons lang genoeg leven om zelfs een industrie als sportkleding voor ouderen te rechtvaardigen.

Deze optimistische en bevoorrechte blik betekent niet dat alles al perfect verloopt. Verre van dat. Bestaansmiddelen worden nog steeds oneerlijk verdeeld en onze samenleving kent veel ongelijkheid. Er is heel veel onrecht dat allemaal moet worden aangepakt. Er is nog steeds oorlog, hongersnood en armoede, en niet iedereen heeft dezelfde toegang tot vervoer, onderwijs en medicijnen die zo hard nodig zijn. Het is wel duidelijk dat de wereld te maken heeft met een opeenstapeling van pijn uit het verleden, in een tijd waarin de luxe manier waarop sommigen nu leven ons allemaal verstikt – dat het feest voorbij is, en dat we ruziemaken over de rekening.

En hoewel er veel is om je zorgen over te maken en het makkelijk is om het gevoel te hebben dat de beschaving de verkeerde kant op gaat, zit het idee dat we allemaal verloren zijn en dat de planeet naar de knoppen is me niet lekker. In feite voelt het fatalistisch om ons bij dat idee neer te leggen. We zijn beter dan dat. We zullen doen wat we altijd hebben gedaan, namelijk ons aanpassen. We moeten het alleen sneller doen. En samen. Dat is een lastige opdracht voor een versnipperde mensheid die afgeleid wordt door de chaos van een 24-uursindustrie die slecht nieuws verkoopt.

En hoewel we niet altijd meer zin hebben om empathie te tonen, is het ook belangrijk te beseffen dat de meest urgente kwesties waarmee we als samenleving vandaag de dag worstelen een generatie geleden nog met onverschilligheid werden ontvangen. Het feit dat we die kwesties nu erkennen en bediscussiëren, laat in ieder geval zien dat we langzaam maar zeker in de goede richting bewegen, zelfs al is er nog veel meer nodig. Een van de belangrijkste stappen die we moeten zetten is het aanpakken van ons groeiend gevoel van verdeeldheid; want elke werkbare oplossing voor de toekomst valt of staat met eenheid.

Ik ben opgegroeid in de politiek verdeelde en gewelddadige stad Belfast, Noord-Ierland: een plaats waar twee tegengestelde groepen afzonderlijke eilandjes werden, en zo afkerend van elkaar dat hun identiteit afhing van een gezamenlijke vijand. Ik ken de vernietigende denkpatronen die een 'wij' tegen 'zij' mentaliteit koesteren maar al te goed. 'Ik weet niet wie ik ben, maar ik weet wie ik niet ben' is maar al te vaak uitgemond in geweld. Culturen vechten al eeuwen met elkaar. De geschiedenis laat zien dat we geneigd zijn dat te doen als we een onbekende groep ontmoeten: onze gezamenlijke identiteit laten bepalen door een gemeenschappelijke vijand. Maar nu al deze culturen van de wereld (en hun verhalen) elkaar kennen – deels dankzij dit internettijdperk – beginnen ze eindelijk met elkaar om tafel te gaan en strijden ze op een nieuwe manier: zowel schreeuwen om te overheersen als op gedempte toon voor eenvoudige erkenning. Het is een luide en verwarrende conversatie die verschillende vormen van diplomatieke en empathische besluitvaardigheid vereist.

Ik groeide op als een Noord-Ierse katholiek en ben bevoorrecht en gezegend met het feit dat ik in het lichaam geboren ben dat bij me past. Ik heb voordeel gehad van de verhalen geschreven door en voor mensen die op mij leken. Maar ik heb ook ervaren hoe het is om van een (inderdaad oorspronkelijk) Britse kolonie te zijn. Het grootste deel van de 20e eeuw zijn de Noord-Ierse katholieken behandeld als tweederangs burgers. Maar rond het midden van de jaren 80, toen ik als kind aan de ene kant afgeschermd en aan de andere kant onderwezen werd, ging aan mij voorbij hoe dit conflict ontstaan was. Het had altijd overduidelijk geleken dat het nooit een religieuze oorlog was geweest en rond midden jaren 90 was het ook niet duidelijk dat het van een klassenstrijd was gekomen. Misschien deels omdat mij een bepaald soort verhalen verteld waren, deels omdat ik deze verhalen met andere moest vergelijken, deels omdat een reeks andere verhalen mij niet verteld waren, leek het eerder politiek terrorisme of georganiseerde misdaad met goede pr. Het was meer een identiteitscrisis dan een mensenrechtenkwestie, maar in beide gevallen was het onmiskenbaar een grillige achtergrond tijdens de jaren waarin ik werd gevormd.

Terwijl ik volwassen werd in deze defensieve, enigszins beperkende omgeving had ik een dringende behoefte om van mijn thuis te vertrekken naar een ruimere omgeving. Dus in 2007 verhuisde ik naar New York City, waar een accent uit Belfast eerder een toegevoegde waarde betekende dan de belemmering die het destijds in Londen was geweest. Eerst was ik gechoqueerd en beledigd dat niemand aan de andere kant van de Atlantische Oceaan iets leek te weten over of zich leek te interesseren voor de politiek verdeelde en traumatisch gewelddadige geschiedenis van waar ik vandaan kwam, maar langzaamaan leerde ik die realiteit accepteren – wij waren een onbelangrijk, onbenullig deel van de linkerbovenhoek van Europa, dus waarom zouden mensen het weten? Ik ken zelf ook niet alle ins en outs van de politieke worstelingen van, bijvoorbeeld, Venezuela. Maar toen ik erachter kwam dat Britse en zelfs Zuid-Ierse emigranten in NYC ook niet veel wisten van onze Noord-Ierse beproevingen, voelde ik een nieuwe vorm van frustratie. We waren helemaal alleen, elkaar aan het vermoorden in een gevecht om deel van een grotere Ierse dan wel Britse identiteit te worden, maar eenmaal buiten onze grenzen – zelfs net buiten de paar honderd vierkante kilometer van onze provincie – leek het niemand wat te kunnen schelen. Ik wist niet wat ik aan moest met die ontmoedigende realiteit.

Tot ik begon te lezen over astronauten.

Er is een fenomeen dat bekendstaat als het overzichtseffect, wat inhoudt dat mensen op het moment dat ze de aarde vanuit de kosmos zien de mensheid op een vergelijkbare manier observeren. In de eerste dagen aan boord van het internationale ruimtestation wijzen astronauten op hun woonplaatsen en steden, daarna verschuift het naar hun landen, en vervolgens richting de ruwe vormen van de continenten die 'thuis' vertegenwoordigen. Uiteindelijk, nadat ze lang genoeg uit dit andere raam hebben gekeken naar de inktzwarte grenzeloosheid van ons Melkwegstelsel, hebben ze een diepgaand besef: dit object, dat in het heiligdom ruimte hangt, is thuis.

Ik begon astronauten te bestuderen toen ik *Samen hier* maakte en zag direct dat de manier waarop zij het kijken naar de aarde vanuit de ruimte beschreven exact was hoe ik over het Noord-Ierse conflict sprak met de afstand vanaf de andere kant van de Atlantische Oceaan. De tragische verspilling van energie en leven dat de geest van zovelen verteert ziet er van een afstand zo zinloos en jammerlijk uit. Met de afstand verruimt ook het perspectief.

De zomer nadat mijn zoon was geboren, was er internationale bezorgdheid over het toenemende geweld in Belfast. Terwijl ik vanuit New York de nieuwsbeelden bekeek zag ik dat, net als toen ik opgroeide, het kinderen waren die bussen kaapten en in brand staken, brandbommen gooiden, in rellen met elkaar en de politie belandden.

Ik vroeg me af wat die tieners nou daadwerkelijk wisten van de nuance in een achthonderd jaar durend conflict. De waarheid is, waarschijnlijk niet veel. Ze hebben eenvoudigweg een verhaal van hun ouders gehoord dat werd bevestigd door hun leeftijdsgenoten. Hun werd verteld wie ze moesten haten en daarom haatten zij ze. Dit, besloot ik, zou niet het verhaal zijn dat ik aan mijn kinderen zou vertellen over waar ik vandaan kwam. En als kunstenaar was dit misschien mijn grootste inzicht: het krachtigste wat wij als beschaafde mensen kunnen doen is het verhaal veranderen. We kunnen altijd, áltijd het verhaal veranderen. We kunnen onze context en beweegredenen aanpassen om naar dingen te kijken alsof ze onderdeel zijn van een ander, productiever verhaal. We kunnen ervoor kiezen om het gevoel dat we hebben bij gebeurtenissen niet te laten beheersen door angst of haat, boosheid of onverschilligheid. We kunnen ons éígen verhaal veranderen.

Mensen zijn eigenlijk een verzameling verhalen: degene die ons verteld zijn, degene die we vertellen en degene die over ons verteld worden. Mensen worden de verhalen die ze geloven.
Na zestien jaar New York, zagen mijn vrouw Suzanne en ik – met onze twee kinderen in ons kielzog – onszelf terug in Noord-Ierland. Jaren daarvoor rende ik weg van Belfast omdat ik niet geïnteresseerd was in de verhalen die we vertelden over wie we waren. Ik hield niet van de manier waarop mensen een waardeoordeel over elkaar hadden. Ik wilde niet op een plek zijn waar een vrije geest en ambitie als iets negatiefs werden gezien. Maar toen ik na bijna twintig jaar thuiskwam in Belfast, ging ik twee dingen waarderen die ik had gemist – de waarde van familie (en veel groen en ruimte) en de manier waarop de wraakidentiteit in de politiek van Noord-Ierland op verschillende manieren weerklinkt in de wereldconflicten. Nobelprijswinnaar en dichter Seamus Heaney (geboren en opgegroeid slechts een paar weilanden van mijn moeder vandaan) zei tegen het einde van zijn leven: 'De wereld wordt één groot Ulster' verwijzend naar de oorspronkelijke provincie van Ierland die nu grotendeels Noord-Ierland is.

Ik vertrok uit Noord-Ierland met de gedachte *Niemand zal ooit onze bizarre interne conflicten begrijpen. Ik hoef niet uit dit vaatje te tappen. Ik zie grotere, mooiere dingen in het leven op aarde en ik kies ervoor om die na te streven.* Maar toen ik in 2016 in New York de meedogenloze verkiezingscyclus en de daaruit voortvloeiende emotionele onrust zag en daarna in 2020 vanaf de andere kant van de oceaan de zelfs nog hardvochtigere verkiezingen, leek het wel of in Amerika wraakpolitiek de persoonlijke gedachten overheerste. Als 'zij' denken dat het zo is dan zal het wel fout zijn, wie 'zij' ook mogen zijn. In Belfast was ik in staat te bedenken waar diverse generaties van verdeeld denken je brengt. Niet ver, als het je überhaupt ergens brengt. Hier in Noord-Ierland proberen we nog stééds ons verleden te rechtvaardigen. Onze aandacht ging (en gaat) uit naar deze wedstrijd van verhalen, op een manier die onze toekomst in de weg blijft zitten. Mensen gingen, en gaan nog steeds, maar in tegen hun eigenbelang door te blijven proberen te bewijzen dat ze gelijk hebben. Dat hun verhaal klopt.

Ik merkte dat ik veel van hoe ik over geopolitiek denk heb van het kijken naar hoe Suzanne als moeder is. Door naar haar te kijken leerde ik dat het je nooit gaat lukken iemand van gedachten te laten veranderen door diegene te vertellen dat-ie fout zit. Jouw standpunt mag voor jou overduidelijk waar zijn, maar emotioneel gezien werkt deze aanvallende manier van communiceren niet. Het heeft nooit gewerkt en zal ook nooit werken. Het legt vooral een heel defensieve mentaliteit bloot. Volwassenen lijken alleen veel langer aan hun verdedigende houding vast te houden dan dat kinderen doen.

Toen ik terugkwam in Belfast, zag ik een paramilitaire muur waarop twee gemaskerde mannen waren afgebeeld met de begeleidende tekst WIJ HEBBEN HET FUNDAMENTELE RECHT OM ONSZELF TE VERDEDIGEN ALS WE WORDEN AANGEVALLEN en ik bekeek dit in een ander licht. Dit was niet alleen een lokaal, maar ook een wéreldprobleem, waar iedereen overal zich aangevallen voelt. Ik heb gemerkt dat als ik mensen vraag 'Wat voor wereld zou je willen?' ze geneigd zijn meer te vertellen wat ze níét willen dan te proberen te bedenken hoe hun ideale toekomstige wereld eruit zou kunnen zien en hoe ze dat zouden kunnen bereiken. Ze beantwoordden een positieve vraag met een agressieve verdediging. Natuurlijk, er zijn wereldwijd conflicten waarbij mensen fysiek in gevaar zijn. Maar waarom voelen degenen van ons die zich niet op zo'n plek bevinden zich continu bedreigd door en vervreemd van elkaar? Is dit gevoel aangevallen te worden gerechtvaardigd? En zo niet, waar komt het dan vandaan? Misschien is het gewoon gemakkelijker om iets met een gezicht de schuld te geven dan een abstract concept zoals wanneer de realiteit anders blijkt te zijn dan het verhaal dat je was beloofd.

Om mijn boeken te promoten heb ik de hele wereld over gereisd. Ik ben in tientallen landen en in bijna alle vijftig staten van Amerika geweest; ik heb mensen van verschillende achtergronden, geloofsovertuigingen en politieke voorkeuren ontmoet. Ik ben er stellig van overtuigd dat de meeste mensen op aarde deugen – als het erop aankomt, zijn we op een individueel niveau van nature attent, vrijgevig en empathisch. Ik neem aan dat dat verschuift zodra we denken in groepen, over groepen. Maar wij zijn ervoor gemaakt om elkaar te helpen en samen te werken. Bijna alle mensen die ik onderweg heb ontmoet zijn goede mensen. Ik ben nooit iemand tegengekomen die echt niet aardig gevonden wílde worden, zelfs niet onder de mensen die over het algemeen beschouwd worden als klootzakken. Zij wilden ook slechts een beter leven voor zichzelf. Voor hun kinderen.

Maar wat betekent dat? Wat is een beter leven?

Tegenwoordig stel ik mensen, in plaats van wat ze willen, de vraag 'Hoe wil je je voelen?'

Als we ons veilig voelen is het enige wat we verder nog willen erbij horen, dat we ons thuis voelen. We willen ertoe doen. En steeds meer mensen zijn bang dat zij niet belangrijk zijn. Dat ze in plaats daarvan vergeten zijn, onbelangrijk zijn, buiten het collectieve verhaal van de moderne samenleving zijn gehouden.

Tijdens de pandemie in Belfast, net voor de wereldwijde lockdown van kracht werd, ontmoette ik toevallig een oude dame die wachtte tot ze de straat kon oversteken en ik vroeg haar of ze dacht dat de situatie nog lang zou duren. 'Ja,' antwoordde ze. 'Ik heb de [T]weede [W]ereldoorlog meegemaakt en destijds probeerde iedereen elkaar te helpen; maar als je nu om je heen kijkt zie je dat mensen alleen kijken waar ze nog mee weg kunnen komen. We gaan hier niet snel uitkomen omdat niemand bereid is om samen te werken.' De eenvoud van haar woorden raakte me. Ze waren niet onwaar. Wanneer was deze kloof begonnen? Hoe waren we van gemeenschap naar individu gegaan? Van 'wij' naar 'ik'?

Was het een verdedigingsmechanisme dat gebruikt werd door mensen die zichzelf probeerden te beschermen tegen het gevoel dat ze niet belangrijk waren, in een wereld waar 'groei' het criterium voor succes is?

Ik vraag me af of we de verkeerde maatstaf hebben gebruikt.

En in een tijd waarin we hebben geleerd eerst aan onszelf te denken – dat wij als individuen allemaal belangrijk zijn – is het begrijpelijk dat we ons verslagen of boos voelen als ons persoonlijke verhaal opzijgezet lijkt te worden. Wat we echter zullen moeten begrijpen is 'dat het niet alleen om mij gaat'. Om een betere toekomst te bouwen moeten we denken richting het collectief, wat voor de hele gemeenschap zou werken. Maar hoe veranderen we de manier waarop we hebben leren denken?

Iets anders waardevols wat ik waarnam terwijl ik keek naar hoe Suzanne als moeder is, is de kracht om een béter verhaal te vertellen. Kwesties hoeven niet per se opgelost te zijn voor mensen verdergaan. Er hoeft geen conclusie of winnaar te zijn.

Wereldwijd is nationalisme een groeiende trend, waarin ongelijksoortige groepen bij elkaar gebracht worden door een gezamenlijk verhaal. Oude verhalen worden vergeten in aanwezigheid van grotere en ogenschijnlijk belangrijkere. Wat deze groepen bindt zijn vaak hatelijke verhalen, die iets of iemand de schuld geven in plaats van het gevoel ertoe te doen. Maar het werkt omdat deze verhalen gaan over de mensen tegen wie ze worden verteld. Ze geven de mensen die het idee hebben vergeten te zijn het gevoel dat ze ertoe doen, hoe oppervlakkig ook.

Maar er moet een betere manier zijn. Een krachtiger verhaal dat de structuur van de maatschappij bindt in plaats van uit elkaar trekt. Ik heb altijd geloofd dat de krachtigste emotie van de mens niet haat is, niet angst, niet eens liefde, maar hoop. Hoop onderscheidt ons van andere diersoorten, omdat het verbeelding van een ongeschreven toekomst vereist. De inkt van de volgende paar haastig geschreven zinnen van dat niet-vertelde verhaal is amper droog, of we zijn al onderweg naar het volgende.

De gedateerde verhalen, de oude verhalen die we al eeuwenlang vertellen over de regels hoe we ons moeten gedragen en die we nog steeds willen rechtvaardigen, hebben weinig plaats in de wereld waar we naartoe werken. Welk toekomstig collectieve verhaal zouden we liever willen vormen? In ieder geval één dat verhalen uitbouwt en versterkt die al geschreven zijn, krachtig met hun basis van hoop en inclusie. En om deze nieuwe verhalen te maken, deze nieuwe systemen die voor iedereen zullen werken, is een enorme onderneming. Het zal het grootste leger mensen ooit samengebracht vereisen in een tijd waarin ongelooflijk veel mensen zich verloren, nutteloos of doelloos voelen. Het is tijd dat we deze twee groepen samenbrengen. Om de bel te luiden voor een broodnodige wereldwijde renovatie. Maar… waar te beginnen?

In 2021 woonde ik een klimaatconferentie in Schotland bij, waar ik als een van de kunstenaars aanwezig was, naast wetenschappers, beleidsmakers en mensen uit het bedrijfsleven. Ik gaf een pauzeworkshop waar zo'n dertig deelnemers mij hielpen een muurschildering te maken. Voor veel betrokkenen was het voor het eerst in tientallen jaren dat ze een kwast in handen hadden. Gedurende de driedaagse conferentie werd ik meermaals gevraagd 'Hoe kan ik wat jij doet gebruiken om wat ik doe er beter uit te laten zien?' Ze stelden de verkeerde kunstvraag. Zij zagen kunst als versiering. Maar dat is niet wat kunst is. Kunst is niet de kers op de taart. Het is zelfs niet de taart zelf. Het is de tafel waar de taart op staat.

Het doel van kunst is om onmerkbaar de grond onder mensen hun voeten vandaan te halen. Wetenschap, technologie, techniek en wiskunde gaan om hóé we dingen doen. Kunst is waaróm we ze doen.

Verhalen zijn misschien wel de belangrijkste kunstpijler.

We onderschatten kunst in het moderne onderwijs. We leren om een beeld, een gezicht, een kamer te 'lezen' nog voor we leren lezen en rekenen, maar desondanks wordt kunst vooral gezien als afleiding en ontspanning. Als we de wereld proberen opnieuw in te richten is educatie, zoals vele opvoedkundigen pijnlijk beseffen, een van de vele stelsels die hoognodig heringericht moeten worden. Mijn vader, levenslang opvoedkundige, wees er altijd op dat een uitgebreide feitenkennis niks zegt over intelligentie. Het bewijst alleen dat je een goed geheugen hebt. Echte intelligentie, zei mijn vader altijd, bestaat uit nieuwsgierigheid en fantasie. En dat zijn twee vaardigheden die mensen in overvloed hebben. We worden alleen niet vaak aangespoord ze te gebruiken. Hoe zouden we het onderwijs herinrichten als het gebaseerd was op het ontwikkelen van mensen die in de toekomst een bijdrage leveren in een veranderende maatschappij? Er zijn betere hersens dan ik heb hard aan het broeden op dit avontuur. Dus een betere vraag om te stellen is waarom ze op zoveel weerstand stuiten. De oude regels zitten diep, en hun wortels zijn diep verankerd.

Toekomstig onderwijs zou nieuwsgierigheid en fantasie moeten toejuichen. Empathie en vreugde. Inclusieve uitvindingen belonen die beschaving helpen te gedijen in een veranderend klimaat. Dit alles zal helpen bij het herijken van ons grotere verhaal, één verteld in harmonie en dat gebruikt kan worden om onze grotere problemen aan te pakken.

Voor alle problemen waarmee we worden geconfronteerd in een snel veranderende omgeving die steeds vijandiger wordt tegenover het leven, zijn er oplossingen bijvoorbeeld. We moeten ons alleen nog rond dezelfde verhalen scharen die ons motiveren om ze te realiseren. We hebben niet zozeer een klimaatprobleem als wel een mensenprobleem – een kakofonie van gebroken verhalen die passen in het straatje van de verteller, niet dat van de toehoorder, waardoor elk gevoel van een gedeelde bestemming verder vervaagt. Met andere woorden: een puzzel die eenvoudiger op te lossen is dan controle krijgen over het weer. Stel je een scenario voor waarin wij allemaal, plotseling en duidelijk, energiek worden van een veel beter verhaal. Eén dat een bloeiende toekomst als doel heeft, in plaats van geleid te worden door 'gelijk' te hebben of door waar we gemakkelijk mee weg kunnen komen in onze eigen individuele levens. Los van het redden van de toekomst van beschaving zou het ook het korte leven dat we ieder krijgen op aarde mooier en vrolijker maken.

Een eenvoudige, krachtige en toegankelijke manier om deze uiteenlopende drijfveren van mensen verspreid over onze planeet te verschuiven, zou kunnen zijn om een bewuste inspanning te doen om 'goed' en 'slecht' in de context van enig conflict of discussie te vervangen door 'beter' en 'slechter'. Het is niet moeilijk om te zien hoe een verschuiving in beleving, in een innerlijk verhaal, echt een verschil kan maken.

Toen de astronauten van de Apollo 8 draaiden en na hun rondje om de maan naar de aarde keken, als eerste mensen die ooit de complete aarde als een compleet object zagen, konden ze er niet achter komen naar welk deel van de aarde ze keken. Het duurde langer dan ze hadden verwacht voor ze beseften dat het de kaap van Afrika was. Omdat de aanblik van de zijkant was. Wij zijn gewend om aan de kaart te denken met het noorden boven en het zuiden beneden, maar dit is een verzonnen inrichting. In werkelijkheid is er geen bovenkant of onderkant van onze planeet. Dit is alleen een systeem dat we zelf hebben bedacht. Een verhaal.

Om deze verschuiving van perspectief weer in praktijk te brengen: wetenschappelijk gesproken bevinden we ons aan de buitenrand van een klein sterrenstelsel, ver van de helderste punten van onze kosmos. Maar in plaats van te zeggen dat we in een koud en eenzaam deel van de ruimte zijn, kunnen we redelijkerwijs hierin troost vinden: als dit de enige plaats is waar leven mogelijk is, dan bevinden we ons in het middelpunt van de minst eenzame plek van het universum.

Hier, in het sociale hart van de kosmos, hoop ik dat dit boek je inspireert om de manier waarop je handelt, spreekt en, nog belangrijker, hoe je denkt over jouw rol in een onbekende toekomst – een verhaal dat nog verteld moet worden, een verhaal dat we allemaal samen moeten vertellen – te veranderen.

Oliver Jeffers is een kunstenaar en auteur uit Belfast (Noord-Ierland), die zijn tijd verdeelt tussen daar en Brooklyn, New York, waar hij zestien jaar woonde. Hij is bekend van zijn prentenboeken voor kinderen, fine art voor volwassenen en publieke beeldhouwwerken voor beide. Oliver stond meerdere keren in de *New York Times*-bestsellerlijst en zijn boeken zijn meer dan vijftien miljoen keer verkocht in meer dan vijftig talen. Hij won diverse prijzen, waaronder een New York Times Best Illustrated Children's Books Award, een BolognaRagazzi Award, een Irish Book Award, een United Kingdom Literary Association Book Award, Time magazine's Book of the Year, een BAFTA voor de bewerking van *Gevonden*, en twee Emmy Awards voor de Apple TV bewerking van *Samen hier: wijs worden uit de wereld*. Hij ontving ook een MBE for Services to the Arts van wijlen Majesteit de Koningin Elizabeth II.

www.uitgeverijdefontein.nl

Oorspronkelijke titel: *Begin Again*
Voor het eerst verschenen in de VS bij Philomel Books, een imprint
van Penguin Random House LLC
Voor het eerst verschenen in het VK bij HarperCollins *Children's Books*,
een divisie van HarperCollinsPublishers Ltd
Gepubliceerd in overeenstemming met Philomel, een imprint van
Penguin Random House LLC
Gepubliceerd onder licentie van HarperCollins *Children's Books*,
een divisie van HarperCollins*Publishers* Ltd

Vertaling: Bas Haring, onder redactie van Maartje Beukers
Vertaling nawoord: Maartje Beukers
Omslagafbeelding: Rory Jeffers
Grafische verzorging: Sander Pinkse Boekproductie

ISBN 978 90 261 7128 4
NUR 740, 274

Dankjewel
Suzanne Jeffers, Fruzsi Czech, Rory Jeffers, Philippa Jordan, Emma Miller, Sam Fisher, Jill Santopolo, Ellice Lee, Aaron Ruff, Gabe Benzur, Alice Blacker, Val Brathwaite, Geraldine Stroud, Paul Moreton, David Pearson, Chris Anderson, Debbie Millman, Mac Premo, Duke Riley, Lucien Zayan, Katie Rosenbaum, Todd Rosenbaum, Steve Dembitzer, Harland Jeffers, Mari Jeffers, Paul Jeffers, Stefan Sagmeister, Lindsay Todd, Erin Allweiss, Jen Loja, Shanta Newlin, Helen Mackenzie Smith and Alec Samways.